中国书法名碑名帖原色放大本

唐·灵飞经

胡紫桂 主编

全国百佳图书出版单位

湖南美术出版社

图书在版编目（CIP）数据

唐·灵飞经／胡紫桂主编.—长沙：湖南美术出版社，2015.6
（中国书法名碑名帖原色放大本）
ISBN 978-7-5336-7284-1

I.①唐… II.①胡… III.①楷书—碑帖—中国—唐代 IV.①J292.24

中国版本图书馆CIP数据核字(2015)第160498号

唐·灵飞经
（中国书法名碑名帖原色放大本）

出版人：黄啸
主　编：胡紫桂
副主编：成琢　陈麟
编　委：冯亚君　邹方斌　倪丽华　齐飞
　　　　成琢　邹方斌
责任编辑：成琢
责任校对：伍兰
装帧设计：造书房
版式设计：彭莹
出版发行：湖南美术出版社
（长沙市东二环一段622号）
经　销：全国新华书店
印　刷：四川省平轩印务有限公司
开　本：889×1194　1/8
印　张：4
版　次：2015年6月第1版
印　次：2020年12月第4次印刷
书　号：ISBN 978-7-5336-7284-1
定　价：35.00元

钟绍京（659—746），字可大，唐虔州赣（今江西赣州）人，进中书令，封越国公，年逾八十卒，卒后追赠太子太傅。钟绍京乃三国著名书法家钟繇第十七世孙，世人将他与钟繇分别称作「小钟」与「大钟」。他上承祖风，擅长翰墨，尤精楷书，「以工书直凤阁」甚得武则天器重。据说当时朝廷宫殿、明堂门额多为其笔迹。钟绍京书法近取初唐，远绍魏晋，其书笔势圆劲、字画妍媚、遒劲有法，为后世书家所重。明董其昌云：「绍京笔法精妙，回腕藏锋，得子敬神髓。赵文敏正书实祖之。」

《灵飞经》，又称《灵飞六甲经》，道教经书。明代晚期发现一卷唐开元年间书写的《灵飞经》墨迹，笔法精妙，遒劲妍媚。此卷流入董其昌之手。按启功先生的说法：「海宁陈氏刻《渤海藏真》丛帖，由董家借到，摹刻入石，两家似有抵押手续。后来董氏又赎归转卖，闹了许多往返纠纷。《渤海》摹刻全卷时，脱落了十二行，董氏赎回时，陈氏扣留了四十三行。从这种抽页扣留的情况看，脱刻十二行也可能是初次抵押时被董氏扣留的，后来又合又分，现在只存陈氏所抽扣的四十三行，其余部分已不知存佚了。」《灵飞经》传世法书除了墨迹本以外，还有诸多刻本，如「渤海本」、「滋蕙堂本」、「望云本」等，然其皆不及墨迹本精彩。该卷墨迹无署名字款，元代袁桷、明代董其昌皆以为是唐钟绍京所书，后人多承此说。诚然，《灵飞经》是唐人写经中的书法精品，亦是后世学习小楷的极好范本。

瓊宮五帝內思上法。常以正月二月甲乙之日，平旦，沐浴齋戒，入室東向，叩齒九通，平坐；思東方東極玉真青帝君，諱云拘，字上伯，衣服如法，乘青雲飛輿，從青要玉女十二人，下降齋室之內，手執通靈青精玉符，授與兆身，兆便服符一枚，微祝曰：『青上帝君，厥諱云拘，錦帔青裙，游回虛無，上

瓊宮五帝內思上法

常以正月二月甲乙之日平旦沐浴齋戒入
室東向叩齒九通平坐思東方東極玉真青
帝君諱雲拘字上伯衣服如法乘青雲飛輿
從要玉女十二人下降齋室之內手執通
靈青精玉符授與地身地便服符一枚微祝
曰
青上帝君厥諱雲拘錦帔青希遊迴虛無上

晏常陽洛景九嶭下降我室授我玉符通靈

致真五帝齊軀三靈翼景太玄扶輿乘龍駕

雲何慮何憂逍遙太極與天同休畢咽炁九

咽止

四月五月丙丁之日平旦入室南向叩齒九

通平坐思南方南極玉真赤帝君諱丹容字

洞玄衣服如法乘赤雲飛輿從絳宮玉女十

二人下降齋室之內手執通靈赤精玉符授

晏常阳，洛景九嶺，下降我室，授我玉符，通灵致真，五帝齐躯，三灵翼景，太玄扶舆，乘龙驾云，何虑何忧，逍遥太极，与天同休。」毕，咽炁（气）九咽，止。四月五月丙丁之日，平旦，入室南向，叩齿九通，平坐，思南方南极玉真赤帝君，讳丹容，字洞玄，衣服如法，乘赤云飞舆，从绛宫玉女十二人，下降斋室之内，手执通灵赤精玉符，授

與地身便服符一枚微祝曰

赤帝玉真厥諱丹容丹錦緋羅法服洋洋出

清入玄晏景常陽迴降我廬授我丹章通靈

致真變化萬方玉女翼真五帝齊雙駕乘朱

鳳遊戲太空永保五靈日月齋光畢咽炁八

過止

七月八月庚辛之日平旦入室西向叩齒·九

通平坐思西方西極玉真白帝君諱浩庭字

与兆身，兆便服符一枚，微祝曰：『赤帝玉真，厥讳丹容，丹锦绯罗，法服洋洋，出清入玄，晏景常阳，回降我庐，授我丹章，通灵致真，变化万方，玉女翼真，五帝齐双，驾乘朱凤，游戏太空，永保五灵，日月齐光。』毕，咽炁（气）八过，止。七月八月庚辛之日，平旦，入室西向，叩齿九通，平坐，思西方西极玉真白帝君，讳浩庭，字

4

素羅衣服如法乘素雲飛輿從太素玉女十

二人下降齋室之內手執通靈白精玉符授

與地身地便服符一枚微祝曰

白帝玉真號曰浩庭素羅飛帬羽蓋鬱青晏

景常陽迴駕上清流真曲降下鑒我形授我

玉符為我致靈玉女扶輿五帝降軿飛雲羽

翠昇入華庭三光同暉八景長并畢咽炁六

過止

素罗，衣服如法，乘素云飞舆，从太素玉女十二人，下降斋室之内，手执通灵白精玉符，授与兆身，兆便服符一枚，微祝曰：『白帝玉真，号曰浩庭，素罗飞裙，羽盖郁青，晏景常阳，回驾上清，流真曲降，下鉴我形，授我玉符，为我致灵，玉女扶舆，五帝降軿，飞云羽翠，升入华庭，三光同晖，八景长并。』毕，咽炁（气）六过，止。

十月十一月壬癸之日，平旦，入室北向，叩齒九通，平坐，思北方北极玉真黑帝君，讳玄子，字上归，衣服如法，乘玄云飞舆，从太玄玉女十二人，下降斋室之内，手执通灵黑精玉符，授与兆身，兆便服符一枚，微祝曰：『北帝黑真，号曰玄子，锦帔罗裙，百和交起，徘徊上清，琼宫之里，回真下降，华光焕彩，授我灵符，百关通理，玉女侍卫，年同劫纪，五帝齐

十月十一月壬癸之日平旦入室北向叩齒
九通平坐思北方北極玉真黑帝君諱玄子
字上歸衣服如法乘玄雲飛輿從太玄玉女
十二人下降齋室之内手執通靈黑精玉符
授與地身地便服符一枚微祝曰
北帝黑真號曰玄子錦帔羅裙百和交起俳
個上清瓊宫之裏迴真下降華光焕彩授我
靈符百關通理玉女侍衛年同劫紀五帝齊

景永保不死畢咽炁五過止

三月六月九月十二月戊巳之日平旦入室

向太歲叩齒九通平坐思中央中極玉真黃

帝名諱文梁字摠歸衣服如法乘黃雲飛輿

從黃素玉女十二人下降齋室之內手執通

靈黃精玉符授與地身地便服符一枚微祝曰

黃帝玉真摠御四方周流無極號曰文

梁五彩交煥錦帔羅裳上遊玉清徘徊常陽

景，永保不死。』畢，咽炁（气）五過，止。三月六月九月十二月戊巳之日，平旦，入室，向太歲叩齒九通，平坐，思中央中極玉真黃帝君，諱文梁，字總歸，衣服如法，乘黃雲飛輿，從黃素玉女十二人，下降齋室之內，手執通靈黃精玉符，授與兆身，兆便服符一枚，微祝曰：『黃帝玉真，總御四方，周流無極，號曰文梁，五彩交煥，錦帔羅裳，上遊玉清，徘徊常陽

九曲華關流看瓊堂乘雲駢轡下降我房授

我玉符玉女扶將通靈致真洞達無方八景

同輿五帝齊光畢咽炁十二過止

靈飛六甲內思通靈上法

凡修六甲上道當以甲子之日平旦墨書白

紙太玄宮玉女左靈飛一旬上符沐浴清齋

入室北向六拜叩齒十二通頓服十符祝如

上法畢平坐閉目思太玄玉女十真人同服

九曲华关，流看琼堂，乘云骈辔，下降我房，授我玉符，玉女扶将，通灵致真，洞达无方，八景同舆，五帝齐光。」毕，咽炁（气）十二过，止。

灵飞六甲内思通灵上法

凡修六甲上道，当以甲子之日，平旦，墨书白纸太玄宫玉女左灵飞一旬上符，沐浴清斋入室，北向六拜，叩齿十二通，顿服十符，祝如上法。毕，平坐闭目，思太玄玉女十真人，同服

玄錦帔青羅飛華之帬頭並積雲三角髻餘

髮散垂之至腰手執玉精神虎之符頭共乘黑

翮之鳳白鸞之車飛行上清晏景常陽迴真

下降入地身中地便心念甲子一旬玉女諱字

如上十真玉女悉降地形仍叩齒六十通咽

液六十過畢微祝曰

右飛左靈八景華清上植琳房下秀丹瓊合

度八紀攝御萬靈神通積感六氣鍊精雲宮

玄锦帔、青罗飞华之裙，头并颊云三角髻，余发散垂之至腰，手执玉精神虎之符，共乘黑翮之凤、白鸾之车，飞行上清，晏景常阳，回真下降，入兆身中，兆便心念甲子一旬玉女，讳字如上，十真玉女悉降兆形，仍（乃）叩齿六十通，咽液六十过，毕微祝曰：『右飞左灵，八景华清，上植琳房，下秀丹琼，合度八纪，摄御万灵，神通积感，六气炼精，云宫

玉華乘虛順生錦帳羅裙霞映紫庭腰帶虎
書絡羽建青手執神符流金火鈴揮邪却魔
保我利貞制勅眾袄萬惡泯平同遊三元迴
老及嬰坐在立亾侍我六丁猛獸衛身從以
朱兵呼吸江河山岳穨傾立致行厨金醴玉
漿收束虎豹叱咤幽冥役使鬼神朝伏千精
所願從心萬事刻成分道散軀恣意化形上
補真人天地同生耳聰目鏡徹視黃寧六甲

玉华，乘虚顺生，锦帐罗裙，霞映紫庭，腰带虎书，络羽建青，手执神符，流金火铃，挥邪却魔，保我利贞，制敕众妖（妖），万恶泯平，同游三元，回老反婴，坐在立亡，侍我六丁，猛兽卫身，从以朱兵，呼吸江河，山岳颓倾，立致行厨，金醴玉浆，收束虎豹，叱咤幽冥，役使鬼神，朝伏千精，所愿从心，万事刻成，分道散躯，恣意化形，上补真人，天地同生，耳聪目镜，彻视黄宁，六甲

玉女為我使令畢乃開目初存思之時當平
坐接手於膝上勿令人見見則真光不一思
慮傷散戒之
甲戌日平旦黃書黃素宮玉女左靈飛一句
上符沐浴入室向太歲六拜叩齒十二通頓
服一句十符祝如上法畢平坐閉目思黃素
玉女十真同服黃錦帔紫羅飛羽希頭並黷
雲三角髻餘髮散之至臀手執神虎之符乘

玉女，为我使令。』毕，乃开目，初存思之时，当平坐接手于膝上，勿令人见，见则真光不一，思虑伤散，戒之。甲戌日，平旦，黄书黄素宫玉女左灵飞一句（句）上符，沐浴入室，向太岁六拜，叩齿十二通，顿服一句十符，祝如上法。毕，平坐闭目，思黄素玉女十真，同服黄锦帔、紫罗飞羽裙，头并颀云三角髻，余发散之至腰，手执神虎之符，乘

九色之鳳白鸞之車飛行上清晏景常陽迴
真下降入坯身中坯便心念甲戌一旬玉女
諱字如上十真玉女悉降坯形仍叩齒六通
泅液六十過畢祝如前太玄之文
甲申之日平旦白書黃紙太素宮玉女左靈
飛一旬上符沐浴入室向西六拜叩齒十二
通頓服一旬十符祝如上法畢平坐開目思
太素玉女十真同服白錦帔丹羅華希頭並

九色之凤、白鸾之车，飞行上清，晏景常阳，回真下降，入兆身中，兆便心念甲戌一旬玉女，讳字如上，十真玉女悉降兆形，仍（乃）叩齿六通，泅（咽）液六十过。毕，祝如前太玄之文。甲申之日，平旦，白书黄纸太素宫玉女左灵飞一旬上符，沐浴入室，向西六拜，叩齿十二通，顿服一旬十符，祝如上法。毕，平坐闭目，思太素玉女十真，同服白锦帔，丹罗华裙，头并

12

積雲三角髻餘髮散之至齊手執神虎之符
乘朱鳳白鸞之車飛行上清晏景常陽迴真
下降入地身中地便心念甲申一旬玉女諱
字如上十真玉女悉降地形仍叩齒六通咽
液六十過畢祝如太玄之文
甲午之日平旦朱書絳宮玉女右靈飛一旬
止符沐浴入室向南六拜叩齒十二通頓服
一旬十符祝如上法畢平坐閉目思絳宮玉

頹云三角髻，余发散之至腰，手执神虎之符，乘朱凤白鸾之车，飞行上清，晏景常阳，回真下降，入兆身中，兆便心念甲申一旬玉女，讳字如上，十真玉女悉降兆形，仍（乃）叩齿六通，咽液六
十过，毕，祝如太玄之文。甲午之日，平旦，朱书绛宫玉女右灵飞一旬上符，沐浴入室，向南六拜，叩齿十二通，顿服一旬十符，祝如上法。毕，平坐闭目，思绛宫玉

女十真，同服丹锦帔、素罗飞裙，头并颓云三角髻，余发散之至腰，手执玉精金虎之符，乘朱凤白鸾之车，飞行上清，晏景常阳，回真下降，入兆身中，兆便心念甲午一旬玉女，讳字如上，十真玉女悉降兆身，仍（乃）叩齿六通，咽液六十过。毕，祝如太玄之文。甲辰之日，平旦，丹书拜精宫玉女右灵飞一句上符，沐浴入室，向本命六拜，叩齿十二通，

女十真同服丹錦帔素羅飛帬頭並積雲三

角鬖餘髮散之至腰手執玉精金虎之符乘

朱鳳白鸞之車飛行上清晏景常陽迴真下

降入地身中地便心念甲午一旬玉女諱字

如上十真玉女悉降地身仍叩齒六通咽液

六十過畢祝如太玄之文

甲辰之日平旦丹書拜精宮玉女右靈飛一

旬上符沐浴入室向本命六拜叩齒十二通

頓服一旬十符祝如上法畢平坐閉目思拜

精玉女十真同服𣎴錦帔碧羅飛華希頭並

積雲三角髻餘髮散之至腎手執金虎之符

乘黃翮之鳳白鸞之車飛行上清晏景常陽

迴真下降入坻身中坻便心念甲辰一旬玉

女諱字如上十真玉女悉降坻身仍叩齒六通

咽液六十過畢祝如太玄之文

甲寅之日平旦青書要宮玉女右靈飛一

顿服一旬十符，祝如上法。毕，平坐闭目，思拜精玉女十真，同服紫锦帔、碧罗飞华裙，头并颊云三角髻，余发散之至腰，手执金虎之符，乘黄翮之风、白鸾之车，飞行上清，晏景常阳，回真下降，入兆身中，兆便心念甲辰一旬玉女，讳字如上，十真玉女悉降兆身，仍（乃）叩齿六通，咽液六十过。毕，祝如太玄之文。甲寅之日，平旦，青书青要宫玉女右灵飞一

旬上符，沐浴入室，向东六拜，叩齿十二通，顿服一旬十符，祝如上法。毕，平坐闭目，思青要玉女十真，同服紫锦帔，丹青飞裙，头并颓云三角髻，余发散之至腰，手执金虎之符，乘青翩之风、

白鸾之车，飞行上清，晏景常阳，回真下降，入兆身中，兆便心念甲寅一旬玉女，讳字如上，十真玉女悉降兆身，仍（乃）叩齿六通，咽液六十过。毕，祝如太玄之文。

旬上符沐浴入室向東六拜叩齒十二通頓

服一旬十符祝如上法畢平坐開目思青要

玉女十真同服紫錦帔丹青飛帬頭並積雲

三角髻餘髮散之至胯手執金虎之符乘青

翩之鳳白鸞之車飛行上清晏景常陽迴真

下降入地身中地便心念甲寅一旬玉女諱

字如上十真玉女悉降地身仍叩齒六通咽

液六十過畢祝如太玄之文

行此道忌淹汙經死喪之家不得與人同牀
寢衣服不假人禁食五辛及一切肉又對近
婦人尤禁之甚令人神鑒魂亡生邪失性炎
及三世死為下鬼常當燒香於寢牀之首也
上清瓊宮玉符乃是太極上宮四真人所受
於太上之道當須精誠潔心澡除五累遺穢
汙之塵濁杜淫欲之失正目存六精凝思玉
真香煙散室孤身幽房積毫累著和魂保中

仿佛五神遊生三宮窈空竟於常輩守寂默
以感通者六甲之神不踰年而降已也子能
精修此道必破券登仙矣信而奉者為靈人
不信者將身沒九泉矣
上清六甲虛映之道當得至精至真之人乃
得行之行之既速致通降而靈氣易發久勤
修之坐在立亡長生久視變化萬端行廚卒
致也

九疑真人韓偉遠昔受此方於中岳宋德玄

德玄者周宣王時人服此靈飛六甲得道術

一日行三千里數變形為鳥獸得真靈之道

今在嵩高偉遠久隨之乃得受法行之道成

今處九疑山其女子有郭勺藥趙愛兒王魯

連等並受此法而得道者復數十人或遊玄

洲或處東華方諸臺今見在也南岳魏夫人

言此云郭勺藥者漢度遼將軍陽平郭騫女

九疑真人韩伟远，昔受此方于中岳宋德玄。德玄者，周宣王时人，服此灵飞六甲得道，能一日行三千里，数变形为鸟兽，得真灵之道。今在嵩高，伟远久随之，乃得受法，行之道成。今处九疑山，其女子有郭勺药，赵爱儿，王鲁连等，并受此法而得道者，复数十人，或游玄洲，或处东华，方诸台今见在也。南岳魏夫人言此云："郭勺药者，汉度辽将军阳平郭骞女

也少好道精誠真人因授其六甲趙愛兒者
幽州刾史劉虞別駕漁陽趙諌師也好道得
尸解後又受此符王魯連者魏明帝城門校
尉范陵王伯緝女也亦學道一旦忽委壻李
子期入陸渾山中真人又授此法子期者司
州魏人清河王傅者也其常言此婦狂走云
一旦失所在
上清瓊宮陰陽通真秘符

也，少好道，精诚真人因授其六甲。赵爱儿者，幽州刺史刘虞别驾渔阳赵该姊也，好道得尸解，后又受此符。王鲁连者，魏明帝城门校尉范陵王伯纲女也，亦学道，一旦忽委婿李子期，入陆浑山中，真人又授此法。子期者，司州魏人，清河王传者也，其常言此妇狂走，云一旦失所在。

上清琼宫阴阳通真秘符

每至甲子及餘甲日服上清太陰符十枚又
服太陽符十枚先服太陰符也勿令人見之
寧與人千金不與人六甲陰正此之謂
服二符當叩齒十二通微祝曰
五帝上真六甲玄靈陰陽二炁元始所生緫
統萬道撿滅遊精鎮魂固魄五內華榮常使
六甲運役六丁為我降真飛雲紫軿乘空駕
浮上入玉庭畢服符咽液十二過止

每至甲子及余甲日，服上清太阴符十枚，又服太阳符十枚，先服太阴符也，勿令人见之。宁与人千金，不与人六甲，阴正此之谓。服二符，当叩齿十二通，微祝曰："五帝上真，六甲玄灵，阴阳二炁（气），元始所生，总统万道，捡灭游精，镇魂固魄，五内华荣，常使六甲，运役六丁，为我降真，飞云紫軿，乘空驾浮，上入玉庭。"毕，服符，咽液十二过，止。

朱书：太玄玉女灵珠，字承翼。墨书：太玄玉女兰修，字清明。右此六甲阴符，当与六甲符俱服，阳曰朱书符，阴曰墨书符，祝如上法。

朱書

太玄玉女靈珠字承翼

墨書

太玄玉女蘭修字清明

右此六甲陰陽符當與六甲符俱服陽日朱

書符陰日墨書符祝如上法

欲令人恒齋戒忌血

穢若污慢所奉不尊

道法者殞為下鬼敬

謹之者長生替泄之者

洞零吞符咀嚼取朱

字之津液而吐出滓著

香火中勿符紙內胃中也

大同三景弟子玉真長公主奉

勅　校寫

大唐開元廿六年太歲戊寅二月己亥朔一日

真香煙散室孤身幽房積毫累著和魂保中

汙之塵濁杜淫欲之失正目存六精凝思玉

於太上之道當須精誠潔心澡除五累遺穢

上清瓊宮玉符乃是太極上宮四真人所受

及三世死為下鬼常當燒香於寢牀之首也

婦人尤禁之甚令人神喪魂亡生邪失性災

寢衣服不假人禁食五辛及一切肉又對近

行此道忌淹汙經死喪之家不得與人同牀

行此道，忌淹污、经死丧之家，不得与人同床寝，衣服不假人，禁食五辛及一切肉。又对近妇人尤禁之甚，令人神丧魂亡，生邪失性，灾及三世，死为下鬼，常当烧香于寝床之首也。

上清琼宫玉符，乃是太极上宫四真人，所受于太上之道，当须精诚洁心，澡除五累，遗秽污之尘浊，杜淫欲之失正，目存六精，凝思玉真，香烟散室，孤身幽房，积毫累著，和魂保中，

24

仿佛五神遊生三宮窅空競於常輩守寂默

以感通者六甲之神不踰年而降已也子脆

精修此道必破券登仙矣信而奉者為靈人

不信者將身沒九泉矣

上清六甲虛映之道當得至精至真之人乃

得行之行之既速致通降而靈氣易發久勤

修之坐在立止長生久視變化萬端行廚卒

致也

仿佛五神，游生三宫，窅空竞（境）于常辈，守寂默以感通者，六甲之神不踰年而降已也。子能精修此道，必破券登仙矣。信而奉者为灵人，不信者将身没九泉矣。

至精至真之人，乃得行之，行之既速，致通降而灵气易发。久勤修之，坐在立止，长生久视，变化万端，行厨卒致也。

上清六甲虚映之道，当得

九疑真人韓偉遠昔受此方於中岳宋德玄

德玄者周宣王時人服此靈飛六甲得道朕

一日行三千里數變形爲鳥獸得真靈之道

今在嵩高偉遠久隨之乃得受法行之道成

今豪九疑山其女子有郭勺藥趙愛兒王魯

連等並受此法而得道者復數十人或遊玄

州或豪東華方諸臺今見在也南岳魏夫人

言此云郭勺藥者漢度遼將軍陽平郭騫女

也少好道精誠真人因授其六甲趙愛兒者

幽州刺史劉虞別駕漁陽趙詠姊也好道得

尸解後又受此符王魯連者魏明帝城門校

尉范陵王伯綱女也亦學道一旦忽委壻李

子期入陸渾山中真人又授此法子期者司

州魏人清河王傅者也其常言此婦狂走云

一旦失所在

上清六甲靈飛隱道服此真符遊行八方行

也，少好道，精诚真人因授其六甲。赵爱儿者，幽州刺史刘虞别驾渔阳赵该姊也，好道得尸解，后又受此符。王鲁连者，魏明帝城门校尉范陵王伯纲女也，亦学道，一旦忽委壻（婿）李子期，入陆浑山中，真人又授此法。子期者，司州魏人，清河王传者也，其常言此妇狂走云，一旦失所在。

上清六甲灵飞隐道，服此真符，游行八方，行

此真书，当得其人。按四极明科，传上清内书者，皆列盟奉脆，启誓乃宣之，七百年得付六人，过年限足，不得复出泄也。其受符皆对斋七日，脆有经之师。上金六两，白素六十尺，金环六双，青丝六两，五色缯各廿二尺，以代翦（剪）发歃血登坛之誓，以盟奉行灵符，玉名不泄之信矣。违盟负信，三祖父母获风刀之考，诣积夜之河，捷蒙山巨石，填之水津。有经之师，

此真書當得其人按四極明科傳上清內書
者皆列盟奉脆啓擔乃宣之七百年得付六
人過年限足不得復出洩也其受符皆對齋
七日脆有經之師上金六兩白素六十尺金
鐶六雙青絲六兩五色繒各廿二尺以代翦
髮歃盂登壇之擔以盟奉行靈符玉名不洩
之信美違盟員信三祖父母獲風刀之考詰
積夜之河捷蒙山巨石填之水津有經之師

受貺當施散扵山林之寒栖或投東流之清源不得私用割損以贍己利不遵科法三官考察死爲下鬼

受貺当施散于山林之寒栖，或投东流之清源，不得私用割损以赡己利，不遵科法，三官考察，死为下鬼。